D1214444

Un amour de sorcière

Conforme à la loi n° 49.956 du 16 juillet 1949 sur les publications destinées à la jeunesse.
Cet ouvrage se compose d'un livre et d'un CD audio qui ne peuvent être vendus séparément.

Le livre :

Direction éditoriale : Françoise Hessel
Conception graphique, réalisation
et direction artistique : Xavier Crauffon
Texte : Mymi Doinet
Illustrations : Julien Rosa
Relecture : Philippe Garnier

Le CD audio raconte deux histoires :

« Un amour de sorcière »
et « Une balade dans la forêt »
Écrites par Mymi Doinet
Lues par : Caroline Ducey
Illustration sonore : Ferdinand Bouchara
Direction artistique : David Lanzmann

© 2005, Éditions Oskarson (Oskar Jeunesse)
Tél. : + 33(0) 1 47 05 58 92 / Fax. : + 33(0) 1 44 18 06 41 / E-mail : info.oskar@wanadoo.fr
ISBN : 2-35000-042-7
Dépôt légal : octobre 2005 - Imprimé et fabriqué en Chine

Mymi Doinet

Un amour de sorcière

Illustrations de **Julien Rosa**

OSKAR
jeunesse

chapitre 1

Bienvenue au supermarché des sorcières !

Dans la forêt des Mille sapins
qui bougonne devant son chaudron ?
C'est Sandy, la sorcière !
Elle rouspète :
— Ah si je pouvais déguster ma
soupe aux **orties**, en compagnie
d'un bon petit mari !

Dans la cabane de Sandy, il y a bien
Charly le chat griffu, et Croquette
la chouette pleine de puces.
Mais, miaou, hou, hou ! Ils racontent
toujours la même chose !
La seule distraction de Sandy est de filer
dans le supermarché des sorcières !

Hop ! Sandy s'empresse de mettre dans
son caddie une bouteille de jus
de chauve-souris et trois citrouilles !
Impatiente de se régaler, Sandy passe
à la caisse.

Sur le mur du supermarché, une affiche a été collée. Dessus, on peut lire :

Au 33 de la rue des Bouilloires,
le nouveau propriétaire
du vieux **manoir**,
vous invite à danser demain soir !
Aux douze coups de minuit,
il y aura l'élection
de la miss la plus jolie !

Sandy se dit :

— Enfin une occasion de rencontrer un bon mari !

Zou ! Elle empile ses achats dans un gros sac à dos. Et elle file à califourchon sur son balai, en se réjouissant :

— Pour me présenter au concours des miss, saperlipopette ! Il faut que je me fasse super coquette !

chapitre 2

La plus belle pour aller danser

Face à son miroir couvert de toiles
d'araignées, Sandy louche :

— Quelle barbe ! J'ai du poil au menton,
mes cheveux ressemblent à un
paillasson, et ma peau sent
le vieux melon !

Mais comment se laver sans baignoire ?

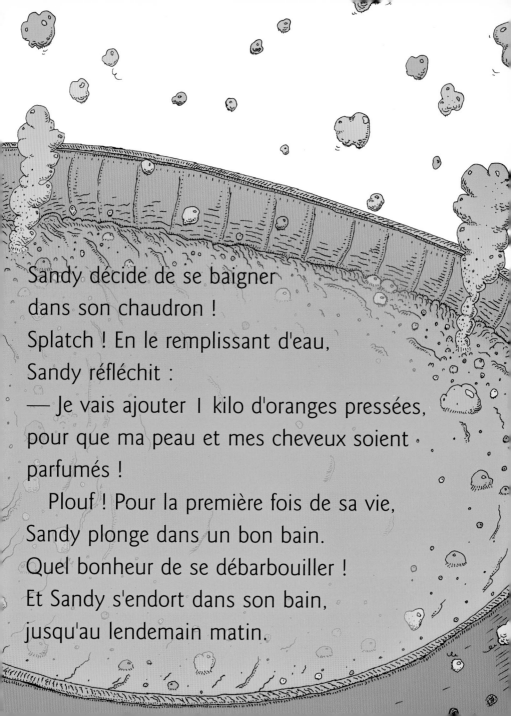

Sandy décide de se baigner
dans son chaudron !
Splatch ! En le remplissant d'eau,
Sandy réfléchit :
— Je vais ajouter 1 kilo d'oranges pressées,
pour que ma peau et mes cheveux soient
parfumés !
   Plouf ! Pour la première fois de sa vie,
Sandy plonge dans un bon bain.
Quel bonheur de se débarbouiller !
Et Sandy s'endort dans son bain,
jusqu'au lendemain matin.

À peine réveillée, Sandy boude :
— Zut ! Mes robes sont trouées comme des **serpillières** !
Je vais être élue la miss la plus horrible de la terre !

Alors, cric, crac !
Sandy coupe
un vieux rideau
en dentelle.
Et avec du fil
d'araignée, le tout
est cousu !

Puis, Sandy glisse des
fraises des bois dans
ses cheveux, et elle
se dit :
— On dirait une
couronne avec des
pierres rouges comme
les **rubis** !

Sandy s'admire
devant son miroir :
— Il me faut aussi une
paire de chaussures
pour bien valser !
Hop ! Sandy
se précipite chez Léo
Lacet, le chausseur.

Elle essaie une paire de baskets rose fluo.
Mais elles ne font pas assez miss ! Sandy
choisit des bottines à talons hauts,
et elle s'écrie :

— Je vais les faire briller avec de la bave
d'escargot !

Tic, tac ! Sandy regarde sa montre :
Le bal commence bientôt !
Clip, clap ! Sur le sol, les talons hauts
de Sandy courent plus vite que son ombre.
Pas de risque de se perdre ! Au 33
de la rue des Bouilloires, devant l'entrée
du manoir, vingt lanternes citrouilles
sont allumées !

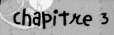

Marions-nous !

Ding, dong ! À minuit pile,
le propriétaire des lieux entre dans
la salle du manoir. Le visage caché
sous un masque de loup, il ordonne :
— Top chrono ! L'élection de la plus
belle miss peut commencer !

… La première à se présenter,
c'est Églantine Durâteau,

la fille du jardinier.

Le mystérieux propriétaire bougonne,
en faisant claquer sa cape :

— Mademoiselle, vous êtes pâle comme
du jus de radis, vous ne serez jamais
la miss la plus jolie !

La deuxième candidate
à venir, c'est Margot Sirop,
la fille du pharmacien.
Sous son masque,
le maître des lieux
ronchonne :
— Mademoiselle, vous
êtes blanche comme
un cachet d'aspirine,
votre sang doit manquer
de vitamines !

La candidate suivante,
c'est Samantha,
la sorcière. Comme
Sandy, elle vit au fond
de la forêt des
Mille sapins.

Le maître du manoir retire son masque,
laissant apparaître ses canines longues
comme des couteaux.
Et il grimace :
— Berk, vous avez le teint vert comme
un plat d'épinards, votre sang doit avoir
un goût de jus de **têtard** !
   Catastrophe ! Et si le propriétaire
du manoir était le pire des vampires ?
Sauve qui peut ! De peur de se faire

mordre, toutes les candidates au titre de
miss s'enfuient. Toutes, sauf Sandy !

La jolie sorcière n'est pas apeurée par
les longues dents du maître des lieux.
Elles ressemblent à des dents de lapin !
Sandy a bien raison de ne pas fuir :
le propriétaire du manoir s'appelle Harry
Potiron. Et c'est un fameux farceur :
ses dents sont fausses !

Hop ! Harry retire son
dentier, et il rigole :
— Sandy, ne crains
rien ! Je suis juste un
sorcier un peu tout fou,
à la recherche d'une
fiancée, comme toi, qui n'a peur
de rien du tout !
Harry murmure à l'oreille de Sandy :
— Avec ta couronne rouge, c'est toi
la miss la plus jolie !
Le sorcier et sa belle sorcière valsent
jusqu'aux premiers rayons du soleil.
Miam, danser, ça ouvre l'appétit !
Au petit déjeuner, Harry prépare
des corn flakes aux crapauds.
Sandy a enfin trouvé un super mari
sorcier !

Elle rit aux éclats :

— Harry, mon chéri, marions-nous,
je te ferai goûter ma soupe aux orties !

Slurp ! Harry s'en **pourlèche** d'avance
les canines !

FIN

Mon petit grand dico

*Voici tous les mots
en orange dans
l'histoire, qui te
sont expliqués. En
les apprenant, tu
vas être incollable
en vocabulaire !*

manoir
(nom masculin : un manoir)
Le manoir est une habitation ancienne,
une sorte de petit château souvent
construit à la campagne.

rubis (nom masculin : un rubis)
Le rubis est une pierre précieuse
de couleur rouge. On le taille pour
faire de magnifiques bijoux.

paillasson
(nom masculin : un paillasson)
Le paillasson est un petit tapis souvent en paille,
placé devant la porte d'une habitation.
On y essuie ses pieds avant d'entrer.

se pourlécher (verbe)

Tu te pourlèches les babines, quand tu passes ta langue sur tes lèvres en signe de gourmandise. Dans l'histoire, c'est Harry qui se pourlèche les canines !

serpillière (nom féminin : une serpillière)

La serpillière est un bout de tissu en grosse toile, qui sert à laver le sol.

vitamine

(nom féminin : une vitamine)

Les vitamines sont de bonnes substances pour ta santé. Il y en a beaucoup dans les légumes et les fruits frais, comme l'orange.

têtard

(nom masculin : un têtard)

Le têtard est un bébé grenouille. Il a une grosse tête, et un corps très fin.

ortie (nom féminin : une ortie)

L'ortie est une plante couverte de minuscules poils qui peuvent piquer. Avec ses feuilles, on fait de la soupe délicieuse, si y on ajoute un peu de crème fraîche !

Table des matières

Les auteurs

Mymi Doinet

Mymi adore mijoter des contes bien croustillants, et des ribambelles de comptines délicieusement croquantes ! Quand elle n'écrit pas, Mymi peint de géants tableaux multicolores, beaux à croquer !

Julien Rosa

Diplômé en 2000 des Arts Déco de Strasbourg, Julien Rosa vit actuellement à Paris où il travaille essentiellement pour la presse jeunesse. Il a aussi illustré les livres Ma maman à moi *(Nathan) et* Bonjour et merci *(Albin Michel).*

Chez le même éditeur

Dans la même collection :

L'âne au crottin d'or

Texte : **Yves Pinguilly** / Illustrations : **Àfrica Fanlo**
Orphelin à 13 ans, Farara hérite d'un anneau d'or
et d'un vieil âne... qui vont changer sa vie.

Dans la collection cadet (8-12 ans) :

Les sanglots longs des violons de la mort
Avoir 18 ans à Auschwitz.

Texte : **Violette Jacquet** et **Yves Pinguilly** / Illustrations : **Marcelino Truong**
Une histoire vraie : en 1939, Violette est une lycéenne de 14 ans. La seconde guerre
mondiale éclate. Persécutée avec sa famille en tant que juive, elle est arrêtée puis
déportée avec ses parents à Auschwitz. Violoniste, elle est affectée à l'orchestre
de femmes du camp...

Les soldats qui ne voulaient plus se faire la guerre
Noël 1914.

Texte : **Eric Simard** / Illustrations : **Nathalie Girard**
À Noël 1914, sur le front opposant troupes britanniques et allemandes, des soldats
des deux camps, désobéissant à leurs supérieurs, cessent de combattre : ils fraternisent
et disputent même un match de football entre les tranchées...

Achevé d'imprimer : Septembre 2005
Imprimé en Chine: C & C offset, Hong Kong